CW00434201

ÍNDICE

CAPÍTULOS

Los protagonistas

Andrés

Primo de Juan (los padres de Juan y Andrés son hermanos) y amigo de Rocío. Es delgado, no muy alto. Es serio, tranquilo, calculador y tiene un gran sentido de la orientación. Le encantan los ordenadores y la informática. Estudia en el colegio San José[1], de jesuitas, en Valladolid. Su padre, *Martín*, es biólogo. Su madre, *Laura*, es diseñadora de moda.

Juan

Primo de Andrés. Es muy amigo de Rocío. Es alto, fuerte y muy ágil. Tiene un carácter alegre e impulsivo y no tiene sentido de la orientación. Estudia en el instituto Zorrilla. Su padre, *Esteban*, es profesor de Educación Especial. Su madre, *Carmen*, es fisioterapeuta.

Rocío

Es muy amiga de Juan desde la escuela primaria y ahora estudian en el mismo instituto. Es alta y delgada, de aspecto frágil. Es imaginativa y le gusta la magia y la aventura. Su padre, *Fernando*, trabaja en un banco. Su madre, *Inés*, es veterinaria.

Más

La gatita encontrada en *El secreto de la cueva* y adoptada por Andrés, Juan y Rocío. *Más* vive en casa de Rocío.

[1] En España, en la enseñanza privada se estudia en un colegio desde los 6 años a los 18. Es decir, desde 1.º de Educación Primaria hasta 2.º de Bachillerato. En la enseñanza pública se estudia en un *colegio* la Educación Primaria. Y después se estudia en un *instituto*.

Resumen de los libros anteriores:

Libro 1: *El secreto de la cueva*
Libro 2: *La isla del diablo*
Libro 3: *El enigma de la carta*
Libro 4: *Misterio en Chichén Itzá*
Libro 5: *En busca del ámbar azul*

Hace dos años los tres chicos (Juan, Andrés y Rocío) van de vacaciones a un pueblo, Paredes de Monte, cerca de Valladolid.

En una cueva encuentran un plano, una carta que se lee mal, un crucifijo con piedras preciosas, una insignia del diablo, unas monedas y una foto con cinco jóvenes de América Central o del Sur. (Ver: *El secreto de la cueva*).

Un crucifijo con piedras preciosas

Los chicos siguen la pista de esos latinoamericanos. Van a las islas Cana-

rias, a Lanzarote, y allí encuentran a una persona de la foto, Enrique. Él les da los nombres de sus amigos: Roberto, Eusebio, Miguel y Amancio. Les explica por qué se han ido de México y han venido a España. Solo Amancio se ha quedado en México y es rico. Enrique piensa que los demás están de nuevo en América. (Ver: *La isla del diablo*).

Una insignia del diablo

Al empezar el nuevo año escolar les espera una sorpresa: el colegio San José, donde estudia Andrés, y el instituto Zorrilla, donde estudian Rocío y Juan, van a participar en un intercambio cultural para hermanar ciudades hispanoamericanas. (Ver: *El enigma de la carta*).

El primer viaje es a México. Visitan la ciudad sagrada de Chichén Itzá. Ven bajar la serpiente emplumada en el templo de Kukulkán. Descubren que Amancio es chamán. Este les cuenta que ha encontrado una piedra de gran valor en Santo Domingo. Roberto y Miguel han ido allí. Eusebio ha querido volver a la tierra de sus abuelos en Perú. Los chicos quieren vivir más aventuras y seguir los pasos de sus amigos latinoamericanos. (Ver: *Misterio en Chichén Itzá*).

El segundo viaje les lleva a Santo Domingo, la primera isla descubierta por Cristóbal Colón y, después de vivir una aventura inquietante, recibirán una piedra preciosa: el ámbar azul. (Ver: *En busca del ámbar azul*).

El lugar de la aventura

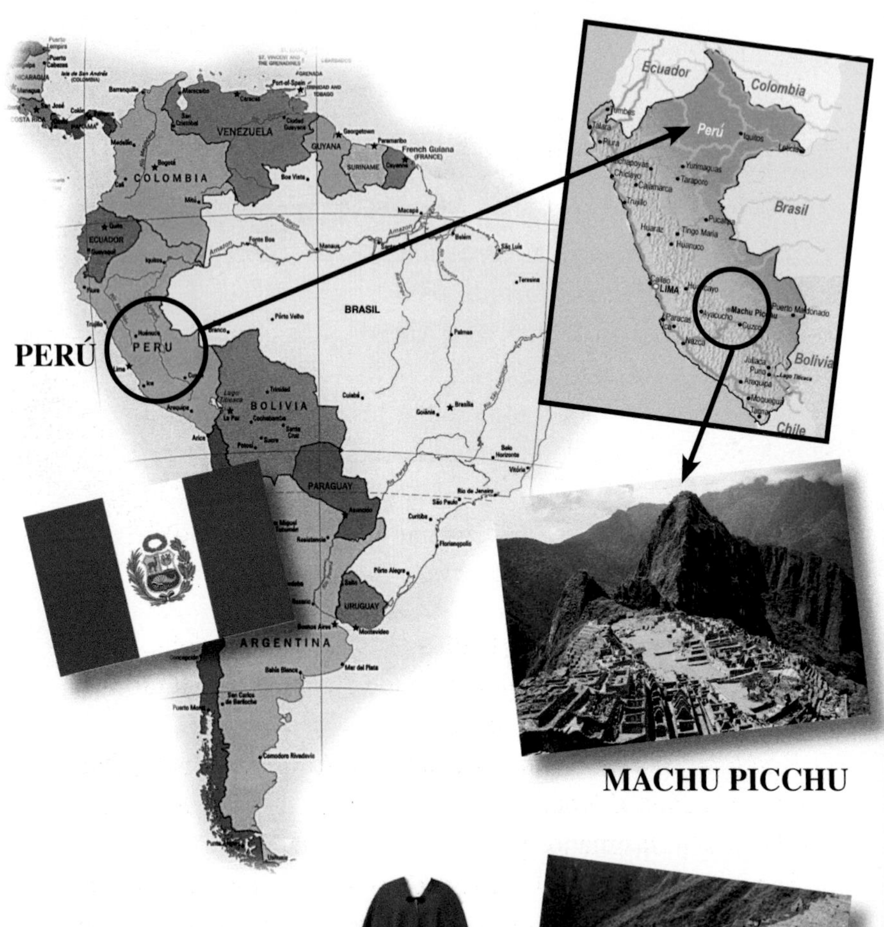

PERÚ

MACHU PICCHU

LA CABAÑA

UN PONCHO

TEMPLO DEL SOL

Un tesoro inesperado

Los tres han quedado en la Plaza Mayor de Valladolid, en el centro, al lado de la estatua del conde Ansúrez. Hace un mes que no se ven. El verano está acabando.

Rocío y Andrés llegan los primeros. Andrés piensa: *¡Qué guapa está Rocío!* Rocío piensa: *¡Uau, cómo ha crecido Andrés!* Chocan[2] las manos y se dan dos besos.

Se ponen a hablar de las vacaciones que han pasado con sus padres. A Andrés le gusta Rocío, pero no dice nada. Al fin ven llegar a Juan. Simpático y espontáneo como siempre, corre hacia ellos y les da un fuerte abrazo.

---

[2] Chocar las manos, es decir, dar una mano contra otra, es una manera de saludo de los chicos.

—¡Primo, estás hecho un hombre[3]! ¡Rocío, estás guapa! ¿Verdad, Andrés?
—Ya está bien de mirarme los dos, ¿qué me pasa?

Rocío vestida de gótica

—Es que estás más gótica que nunca, ¿no te parece, Andrés? 15
—Sí, sí, gótica total, falda negra con volantes, botas, uñas negras, hasta los guantes rojos y negros… ¡Vas completamente disfrazada[4]!
—Ja, ja, ja, era una sorpresa. Vosotros también habéis cambiado. ¿Y esos vaqueros? 20
—¿Qué tienen nuestros vaqueros? —pregunta Andrés con inocencia.
—No sé, pero habéis cambiado… no sois los mismos 25 —dice Rocío riéndose de nuevo.
—Ja, ja, ja —se ríe también Juan—, tienes un poco de razón, Rocío. No hemos cambiado, pero enseguida vamos a cambiar.

Los vaqueros

—¿Y por qué vamos a cambiar? —pregunta 30 Andrés.
—Porque somos ricos y no lo sabíamos —responde Juan.
—Vale, somos ricos, pero entonces dinos qué hemos ganado —insiste Andrés.
—Mira, el otro día me paré delante del escaparate[5] de una 35 tienda de numismática…
—¿De qué? —pregunta Rocío.

[3] Ha crecido y es más fuerte.
[4] Viste de manera que no se reconoce.
[5] Parte exterior de una tienda donde se exponen los artículos que se venden.

—Una tienda que compra y vende monedas. Y me di cuenta de que las monedas de Hispanoamérica que encontramos en la cueva de Paredes[6] valen mucho dinero.

—¿De verdad? —preguntan los dos a la vez.

—Sí, sí, de verdad, sobre todo una que es más grande que las otras… ¡y que es de oro!

Unas monedas de oro

—Claro —dice Andrés—, como eran viejas y estaban sucias casi no las hemos mirado.

—Pues ya está, las vendemos y nos compramos una cámara de fotos, un GPS, un ordenador… —empieza Rocío.

—Eso, un portátil para cada uno y… —sigue Andrés con entusiasmo.

—No, no, yo creo —añade Juan— que tenemos que esperar. Porque si vamos de nuevo a América allí nos van a pagar más.

—Es verdad. En ese caso, hay que guardar bien las monedas y no perderlas —dice Andrés.

—Tranquilos. Las he escondido muy bien en mi habitación. Y de ahí no salen.

—¡Uf —exclama Rocío con cara dramática—, tener un tesoro y no poder usarlo!

—Hay que saber esperar, pequeña —dice Andrés con voz de mayor y eso les hace reír.

Los tres chicos están felices juntos.

---

[6] En el primer libro, *El secreto de la cueva,* los tres chicos descubren una serie de cosas y en particular unas monedas hispanoamericanas.

Capítulo 2

La ciudad perdida

El primer día de clase los chicos tienen una sorpresa: ¡esa misma tarde tienen una reunión sobre el intercambio escolar de este curso!

El concejal[7] de Educación explica que el intercambio va a tener lugar con la ciudad de Cuzco en Perú. Se oye un *hurra* de alegría.

Lo van a hacer alumnos del instituto Zorrilla y el colegio San José, como el año anterior. Los alumnos deben hacer un trabajo sobre Perú y el mejor será seleccionado. Hay varios temas, sobre sus diversas zonas geográficas e históricas.

Después explica lo que une Valladolid con la ciudad de Cuzco. Los vallisoletanos han sido los primeros en crear allí

[7] Los concejales forman parte del equipo de gobierno de un ayuntamiento.

una escuela para los hijos de los españoles. Los padres jesuitas que ahora trabajan en Cuzco van a acoger a los participantes de
15 este intercambio.

La ciudad de Machu Picchu

Perú es un país muy interesante y no lo pueden ver todo, pero van a visitar una de las nuevas maravillas del mundo, la ciudad de los incas,
20 Machu Picchu.

—Bueno, seguro que nosotros vamos a ganar, así es que ¡hale, a trabajar!— dice Rocío con entusiasmo cuando termina la reunión.

Durante la semana los tres buscan información sobre Perú
25 para decidir el tema de trabajo. Y el sábado se reúnen para tomar una decisión.

—¿Lo hacemos sobre «la ciudad perdida»? —propone Rocío.
—No sé, hemos leído ya tantas cosas sobre Perú… es difícil
30 decidir —dice Juan.
—¿Y cuál crees tú que es esa ciudad «perdida», primo?
—Unos piensan que era Paititi. Todavía no la han encontrado. Otros dicen que era Choquequirao[8]. La mayoría piensa que es Machu Picchu —explica Andrés.
5 —Quería enseñaros una cosa, mirad —Juan saca un libro de Tintín y pregunta: ¿Habéis leído *El templo del Sol*?
—Sí, hace mucho, ¿por qué? —responde Andrés.

---

[8] *Choquequirao* significa ´cuna de oro`.

—Porque las aventuras son en Perú y es muy interesante para nosotros.

Templo del Sol

Y Juan les recuerda lo que pasa en el libro. Al profesor Tornasol lo raptan en un barco de mercancías. Luego Tintín y el capitán Haddock viven muchas aventuras para encontrarlo. Al fin empujan una losa y entran en el Templo del Sol.

—Tenemos que ver este templo —reflexiona Andrés.

—Sí —dice Rocío señalando una página—, mira, aquí está el rey inca, el hijo del Sol.

—¿Vosotros no creéis que allí vamos a encontrar más monedas de oro? Porque si había tanto oro por todas partes, puede quedar alguna moneda —reflexiona Juan en alta voz.

Una losa

—¡Qué pesado estás con las monedas, Juan! —exclama Andrés.

—Es que a ti no te interesan los tesoros tanto como a nosotros, ¿verdad, Juan? Oye, ¿me prestas el libro? Tengo ganas de volver a leerlo.

Capítulo 3

«Las líneas de Nazca, ¿un calendario de gigantes?»

Un cóndor

Los chicos se han sentado en un banco de la plaza Fuente Dorada. Siguen buscando el tema. Ninguno les convence. Tienen que encontrar uno muy original.

Juan está dibujando, como hace muchas veces. Ahora son unas líneas geométricas con siluetas de animales: cóndores, arañas…

Una araña

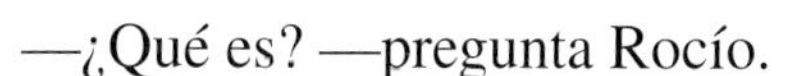

—¿Qué es? —pregunta Rocío.

—No sé, para distraerme —contesta Juan.

—¿Pues sabes lo que te digo? —interviene Andrés—. Que eso lo he visto en Internet.

Las líneas de Nazca

—¿Dónde? —pregunta Rocío.
—No recuerdo bien… Ah, sí… Eran las líneas de Nazca —responde Andrés.
—¿Y eso qué es? —pregunta Juan. 15
—No sé, unas líneas misteriosas que hay en Perú —contesta Andrés.
—Líneas misteriosas, líneas misteriosas —repite Rocío—. ¡Ya tenemos el tema, seguro! 20

Los chicos van a casa de Rocío y, cuando teclean *Nazca,* encuentran muchos documentos. Ven gigantescas figuras de animales y de hombres dibujadas en la tierra.

—Mirad, mirad los dibujos de Juan —grita Rocío—. ¡Hay muchísimos! 25
—*Misteriosas líneas se extienden en un perímetro de 50 kilómetros de longitud y 15 kilómetros de ancho. Solo se ven bien desde el aire* —lee Andrés.
—Así que para verlos hay que subir muy arriba… en avión, en helicóptero —dice Juan. 30
—¡Qué curioso! ¿Cómo pueden haber hecho estas líneas y estos dibujos? Y sobre todo, ¿quiénes las han hecho? —pregunta Andrés.
—Mira, lee —añade Rocío—, ¡las han hecho los extraterrestres! Eran pistas para aterrizar. 3
—Ya, eso es una leyenda —dice Andrés—. Aquí dice que Reiche, una científica alemana, explica que son un enorme calendario de los movimientos del Sol, la Luna y las estrellas.
—Vamos a hacer algo muy bueno —dice Rocío.

En efecto, después de trabajar mucho durante varios meses, los tres presentan «Las líneas de Nazca, ¿un calendario de gigantes?». Rocío, Juan y Andrés han sido los más originales. Han preparado un bonito Power Point y cuando terminan todos aplauden.

Y por fin llega el fin de curso y el día soñado del nuevo viaje. Ya están en el aeropuerto de Barajas los alumnos seleccionados.

Los chicos, uno a uno, pasan por el mostrador de facturación. Juan da su maleta y la mira hasta que desparece.

Una maleta

Una mochila

—¿Qué pasa? —pregunta Rocío.

—Nada, pero nunca se sabe. Como no quería llevar las monedas en la mochila, las he puesto en la maleta —responde Juan.

—Mejor, así no tienes problemas al pasar el control de equipaje de mano —añade Andrés.

—Además, quién va a saber que llevo un tesoro en mi maleta.

Los chicos están mirando las tarjetas de embarque.

—A ver, ¿qué asientos tenéis?

Juan y Rocío están juntos. Andrés está en otra fila.

—No pasa nada —dice Rocío—. El viaje dura unas 10 horas, tenemos tiempo de cambiarnos.

—Ya —dice Andrés un poco triste—, pero es la primera vez que no viajamos juntos. 65

Pasan el control de policía y el control del equipaje. Cuando pasa Rocío, los agentes cogen su mochila y la miran con mucho detalle.

—¿Qué es esto? —pregunta un agente mirando la mochila. 70
—Son paneles solares.
—¿Paneles solares?
—Están cosidos en la mochila. Sirven para recargar las baterías, ¿sabe usted? 75
—¡Paneles solares en una mochila…!
—dice sorprendido el agente de seguridad.

Unos paneles solares

Una vez pasado el control Andrés y Juan se precipitan hacia Rocío.

—¿Qué te preguntaban? —le dicen. 80
—Nada especial. No sabían que existían mochilas con paneles solares.

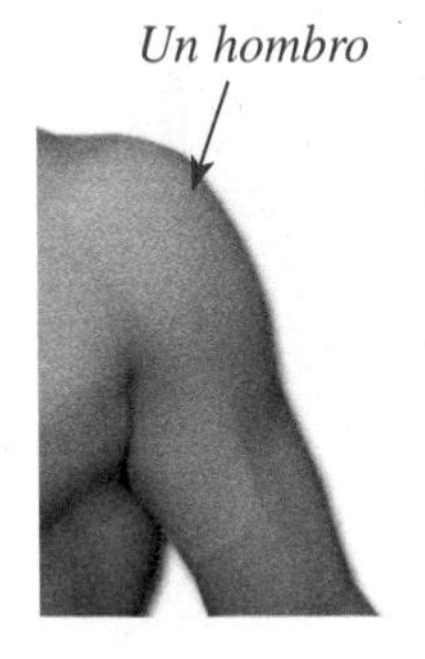

Un hombro

El vuelo pasa muy rápido. Juan y Rocío tienen sueño y duermen muchas horas. Andrés se siente solo y duerme poco. Se levanta varias veces y va a verlos dormir. Rocío se ha dormido sobre el hombro de Juan. Cuando el avión empieza a bajar, Andrés se levanta por última vez y va a despertarlos. 85

90 —¡Que estamos llegando, chicos!

Luego se va deprisa a su asiento para ponerse el cinturón de seguridad.

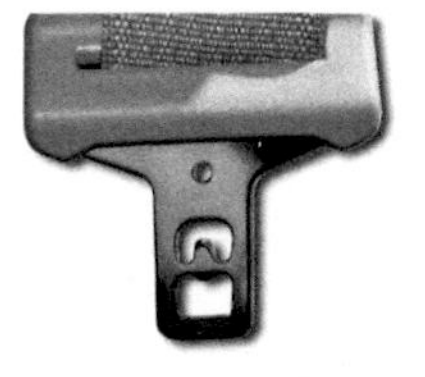

Un cinturón de seguridad

Vista aérea del centro de Cuzco

Plaza central de Cuzco

El ombligo del mundo

El aeropuerto de Cuzco está muy cerca de la ciudad.

—Señoras y señores, estamos aterrizando en la capital del imperio inca —dice Juan imitando la voz de la azafata.
—Sí, en Cuzco, el ombligo del mundo[9] —añade Rocío.
—Parece que hemos aterrizado en medio de las montañas —exclama Juan.
—Y a mí me parece que estoy sorda —dice Rocío poniéndose las manos sobre las orejas.

[9] Ombligo = parte central e importante de algo. *Cuzco* significa en quechua `el ombligo del mundo´.

Al salir del avión se reúnen con Andrés. Rocío le pregunta:

10 —¿Qué tal el viaje?
—Pues ya ves. Solito en mi asiento. ¿Y vosotros? Supongo que os lo habéis pasado pipa[10].

Los tres van a recoger el equipaje. Juan está preocupado. Por fin aparecen las maletas. Una de las primeras en salir es la
15 de Andrés.

—¡Qué suerte tienes! —dice Juan—. Tú siempre el primero en todo.
—Tranquilo, Juan. La tuya también va a salir —observa Andrés.

En seguida sale la maleta de Rocío. La maleta de Juan sale
20 la última.

—Juan, mira, tu maleta —grita Andrés.

Juan corre y coge la maleta. Pero la mira y exclama:

—Esta no es la mía. Se parece, pero no es la mía.
—¿Cómo no va a ser la tuya? —le pregunta Andrés.
5 —No, la mía tenía una pegatina[11] con la foto de *Más* —contesta Juan.
—Eso quiere decir que alguien se ha confundido —explica Andrés—. Se va a dar cuenta y la va a devolver. Tranquilo.

---

[10] Expresión coloquial: *pasárselo muy bien.*

[11] Adhesivo.

Juan está muy angustiado. No solo ha perdido su maleta, sino que también ha perdido el tesoro de los tres. 30

El responsable del grupo se acerca a los chicos y les dice:

—Esto pasa mucho, tranquilo, muchacho. Vamos a reclamaciones para solucionarlo.

Juan, con la cara muy seria, presenta la hoja de reclamación. Todos están muy callados, al fin Rocío dice: 35

—Me siento muy cansada, no tengo suficiente aire.
—No. Lo que pasa es que este aire tiene menos oxígeno —dice Andrés.
—¿A qué altura estamos? —pregunta Juan.
—Pues estamos a 3400 metros —contesta Andrés. 40
—¡Qué impresionante! —exclama Rocío.
—Ya nos lo han dicho: el primer día hay que comer poco, andar poco, beber mucho y dormir mucho —explica Andrés.

El autocar los lleva a la célebre Plaza de Armas, con la catedral y la Compañía de Jesús con sus dos torres. La residencia 45 está un poco más lejos.

Catedral de Cuzco

Compañía de Jesús

Al fin se instalan y después de comer van a descansar un momento para acostumbrarse al clima y a la altitud. Cuando bajan del dormitorio, tienen una sorpresa. Un altavoz anuncia:

—Han traído una maleta del aeropuerto. Vengan a identificarla, por favor.

Juan abre los ojos, sonríe y se va a buscarla. Está seguro de que es su maleta.

—Mía, es mía. Gracias, muchísimas gracias, de verdad —dice Juan cuando la ve.

Luego sube corriendo a su habitación. Abre la maleta muy deprisa, ve que todo está en orden y baja, también corriendo, a hablar con sus amigos.

—Intacta, está intacta. El tesoro está aquí dentro.

Esa noche Juan duerme con el paquete de las monedas.

Visita a Cuzco

Hundir el bastón de oro

Al día siguiente en el salón de actos un profesor explica al grupo lo que van a hacer durante el intercambio. Después proyecta un audiovisual con la historia de Cuzco:

Los indios son víctimas de las inclemencias del tiempo. El dios Sol tiene piedad y confía a su hijo predilecto, el inca Manco Cápac, un bastón de oro.

Se ve a los indios andar por todos los caminos y hundir[12] el bastón de oro en la tierra. Una voz les dice:

[12] Meter en lo profundo de la tierra.

Si el bastón se hunde completamente, ahí tenéis que establecer vuestro reinado.

Los incas suben hacia el norte. Un día se paran para descansar y el bastón se hunde sin esfuerzo en el suelo.

Entonces el inca Manco Cápac[13] exclama:

Esto es el centro del mundo. Cuzco[14], el ombligo del mundo.

De repente se apaga la luz, se va el sonido y todos se quedan en la oscuridad.

—¿Vosotros creéis que forma parte del espectáculo? —pregunta Juan.
—No, es una avería[15] —razona Andrés.

Los profesores piden silencio.

—No es nada, no pasa nada. Solo se ha ido la luz.

Juan, que no se fía[16], mete la mano en su mochila. Comprueba que las monedas siguen ahí. Saca el monedero y dice suspirando:

Un monedero

—¡Qué susto! Creí que era una maniobra para robarnos nuestro tesoro.
—¡Qué desconfiado eres!

---

[13] Fue el fundador de la civilización inca.
[14] Se dice que la ciudad fue fundada entre los siglos X y XII por el inca Manco Cápac. Según la leyenda, los incas llegaron del lago Titicaca, el lago sagrado. La capital del imperio inca fue descubierta por los españoles en 1533.
[15] Cuando algo tiene una avería deja de funcionar.
[16] No tiene confianza.

Los alumnos ya se han levantado y empiezan a salir de la sala.

Un calendario inca

—Ahora vamos a pasear por Cuzco, ¿no?, a ver si encontramos uno de esos pilares con los que los incas medían el tiempo[17] —dice Rocío.
—Sí —añade Andrés—, los incas tenían un calendario genial.

Como tienen toda la tarde libre para visitar la ciudad, los tres chicos han decidido verlo todo con tranquilidad. Salen de la Plaza de Armas.

—Recordad que Pizarro[18] declaró aquí que iban a conquistar Perú —dice Andrés.
—Claro, estamos en un lugar histórico —añade Rocío—. Esta plaza es el ombligo del ombligo.
—Y también fue donde murió Túpac Amaru II, el jefe indígena de la resistencia contra los españoles —continúa Juan.

Los tres bajan por la calle Hatunrumiyoc. En medio está el antiguo palacio del inca Roca. Hay muchos turistas admirando la famosa piedra de los doce ángulos.

—Es impresionante —dice Juan.

---

[17] Los incas tenían un calendario muy preciso. El año, de trescientos sesenta días, estaba dividido en doce lunas de treinta días cada una. En Cuzco los solsticios (el comienzo del verano y del invierno) se medían con pilares llamados *pachacta unanchac* o *indicadores de tiempo.*
[18] Francisco Pizarro (1475?- 1541) fue el explorador y conquistador español del imperio inca.

—Uno, dos, tres, cuatro... doce —cuenta Rocío los ángulos de la famosa piedra.
—Todas las piedras caben perfectamente en los ángulos —observa Andrés.
—Estos incas —dice Rocío— eran perfectos arquitectos.

La piedra de los doce ángulos

Los chicos se quedan pensativos. Andrés rompe el silencio.

—¿Por qué no vamos a ver Qoricancha, el santuario del dios del Sol en el imperio inca?
—Ahora es el convento de Santo Domingo. Lo han construido los españoles sobre las ruinas del santuario inca —Rocío va leyendo una guía con mucho interés.
—Mira, ahí esta la torre —señala Juan—. Es más alta que las otras construcciones.

Cuando entran en el convento, Juan exclama:

—Fijaos, a este lugar lo llamaban «el lugar de oro». Todas las paredes estaban llenas de oro.
—Mucho oro..., pero nosotros todavía no hemos encontrado nada —dice Rocío.

Los tres se dirigen hacia el barrio de San Blas. Es un barrio pintoresco.

El barrio San Blas

Tiene muchas tiendas de artesanía. Las calles son empinadas[19] y estrechas.

—En este barrio vamos a poder vender las monedas —dice Andrés.
—Yo pienso que hay que vender una por una y no todas a la vez —añade Juan.
—No sé si lo habéis visto, pero hay un hombre que nos sigue —comenta Rocío.

Un poncho rojo

—¿Un hombre que nos sigue? —pregunta Andrés.
—Sí, ya lo he visto, es aquel hombre del poncho[20] rojo—explica Juan.
—¡Buah! Ya estáis con vuestras fantasías, seguro que es un turista más —sugiere Andrés.

Los chicos disimulan y miran el escaparate de una tienda de recuerdos. Juan señala un objeto.

—¡Mirad, qué bonito es este tumi[21]! Parece muy antiguo. Quiero llevar uno de recuerdo.

Un tumi

[19] Tienen una gran cuesta.
[20] Manta cuadrada o rectangular que sirve de abrigo. Es de lana, alpaca u otro tejido. En el centro tiene una abertura para la cabeza.
[21] El tumi es un tipo de cuchillo ceremonial usado en Perú.

—¿Cómo vas a llevarlo? ¿Qué quieres hacer con él? —pregunta Rocío.

—Oye, ¿qué estás pensando? No voy a hacer nada con él, es solo de adorno[22].

—En las ceremonias del Inti Raymi del 24 de junio[23] se sacrifica una llama y la matan con el tumi —explica Andrés.

Los tres chicos siguen mirando las tiendas.

—¿Sigue ahí el hombre del poncho rojo? —pregunta Andrés.

—Pues claro. Hace lo mismo que nosotros. Se ha parado en un escaparate —dice Juan.

Andrés y Rocío siguen disimulando y hablan de los vestidos que lleva la gente.

Una alpaca

—Mira, ese poncho debe de ser de lana de alpaca[24] —dice Rocío.

—No debe de dar mucho calor porque está abierto por los lados —observa Andrés.

—De todos modos es muy bonito —comenta Rocío.

—¿Por qué no nos probamos uno? —propone Andrés.

Los chicos se ponen los ponchos. Se miran y se ríen.

—Nos quedan muy bien —dice Rocío.

---

[22] Un adorno es algo que no es necesario, pero que sirve para hacer algo más bonito.

[23] Es decir, la importante fiesta del comienzo del solsticio de verano.

[24] Mamífero de la misma familia que la llama.

—Oye, ¿y Juan? ¿Dónde está Juan? —pregunta Andrés.

Los dos chicos miran por todos los lados y no lo ven. De repente lo ven correr hacia ellos. Les hace señales. Está excitado.

—¿Qué te pasa, Juan?
—He visto entrar en una tienda al hombre que nos seguía y he ido a ver.
—¿Y? —preguntan intrigados sus amigos.
—Pues que ha entrado en una tienda de numismática.
—¡Qué extraño! —comenta Rocío.
—A lo mejor también le interesan las monedas —argumenta Andrés.
—No, este tío[25] quiere robárnoslas y está preguntando cuánto valen —afirma Juan.
—Ahora que está ocupado hay que desaparecer y volver a la residencia —dice Rocío.

Esa noche Juan sueña con una montaña de monedas de oro. Él está encima y, de pronto, empiezan a desaparecer. Ve que se hunde, tiene miedo y da un grito: «¡¡No, socorro, nooo!!». Andrés se despierta y desde su cama, con voz de sueño, le dice:

—Juan, por favor, calla. Estaba soñando una cosa muy bonita. Rocío y yo estábamos…

No acaba la frase y se vuelve a dormir. Juan, sin embargo, ya no se vuelve a dormir.

---

25 *Tío, tía* es también una manera despectiva de referirse a un hombre o una mujer.

Capítulo 6

Machu Picchu en las nubes

Es el gran día. El grupo escolar sale de excursión a Machu Picchu. Les han hablado mucho sobre Machu Picchu, Patrimonio de la Humanidad y una de las maravillas del mundo. Todos se sienten emocionados por ir allí.

El viaje lo hacen en un tren, «el Zigzag», que da muchas vueltas. Tiene el techo acristalado para ver el cielo. Sale de Cuzco, luego baja hacia el Valle Sagrado y llega a Aguas Calientes, cerca de Machu Picchu. El tren avanza siguiendo el río Urubamba. El contraste de las montañas con el cielo es espléndido. El guía exclama:

Los dioses se han convertido en montañas. Los hijos del Sol se visten de oro.

Cuenta a continuación cómo Machu Picchu fue descubierto en 1911 por Hiram Bingham de la universidad de Yale (EE.UU.), gracias a las indicaciones de un niño indígena. Y explica las diferentes teorías[26] que existen. 15

Rocío, con la cámara en la mano, mira por la ventana del tren.

—Nos acercamos a la ciudad perdida —dice—. Estoy mirando a ver si veo un cóndor.

Juan ha dibujado una cabaña. Alguien está acostado en una cama. Hay mucha gente a su alrededor y uno lleva en la mano un montón de plantas medicinales. 20

Una cabaña

—¿Y ahora qué estás dibujando, Picasso[27]?—le pregunta Andrés. 25
—No sé exactamente. Tanta vegetación por aquí me da ideas.

Rocío mira hacia atrás y exclama:

—Mirad hacia atrás con discreción —dice ella en voz baja.
—¿Qué?
—Ahí está el hombre del poncho rojo. 30
—¡Qué coincidencia! —dice Juan.

---

[26] Entre otras teorías: que fue construida por una civilización anterior a los incas; que fue el refugio de las vírgenes del sol; que fue la última capital del imperio inca y que allí se retiró el inca Manco cápac cuando fue vencido por los españoles. El arqueólogo Hiram Bingham fue el personaje real en el que se inspiró Steven Spielberg para su personaje de ficción Indiana Jones.

[27] Andrés se burla de su primo llamándole *Picasso*. Pablo Picasso (siglo XX) fue un pintor español de fama universal.

—Os digo yo que es un turista que hace el mismo circuito que nosotros —comenta Andrés.
—Bueno, nunca se sabe —concluye Juan—, tenemos que estar siempre juntos. Vosotros me servís de guardaespaldas[28].

Los tres intentan calmar su inquietud y se ponen a hablar de otra cosa.

—Desde que hemos salido de Cuzco, estamos bajando cada vez más. Yo me siento mejor.
—Pues a mí, la verdad, esta altura no me va bien —añade Andrés.

Han llegado y cogen un autobús para subir a la ciudadela de Machu Picchu.

—Debe de ser muy bonito hacer el camino inca —dice Juan.
—Ya vamos a andar bastante allí arriba —Andrés no es tan deportista como Juan.

Suben por una carretera estrecha: a un lado está la montaña; al otro, el precipicio.

—Me parece que me voy a marear con tantas curvas —dice Juan.
—Mira, allí se ven llamas —observa Rocío.
—Son como los camellos. Pueden resistir varias semanas sin beber —comenta Andrés.

[28] Persona que acompaña a otra con la misión de protegerla.

Una llama lanza saliva

—Tenemos que ver de cerca una
—añade Juan. 55
—Ten cuidado, cuando se enfadan te lanzan saliva en la cara
—explica Andrés.

Ya han llegado. El grupo empieza a subir a la ciudadela. 60 Desde el mirador ven la panorámica de Machu Picchu. Pasan por la puerta principal. Ahí empieza la muralla. Ven un jardín botánico con numerosas variedades de plantas. Llegan a la plaza de los templos y el guía explica 65 qué es una pequeña escultura de piedra.

—Esta piedra representa la constelación de la Cruz del sur. En el solsticio de invierno el Sol proyecta una sombra que toma la forma de cabeza de llama bebiendo.

Rocío le dice una cosa en voz baja a Andrés. Andrés se lo 70 dice a Juan.

—Rocío está diciendo que el hombre del poncho rojo nos sigue.
—Se va a dar cuenta de que lo hemos visto.

Los chicos visitan el Templo del Sol. En un cartel leen la 75 información:

En el centro hay un altar de piedra para las ceremonias en honor al Sol. Los sacerdotes podían predecir el futuro viendo

los corazones, pulmones y vísceras de los animales sacrificados. El inca bebía aquí la chicha[29] *con su padre, el Sol.*

Intihuana

Luego los tres se dirigen a ver el Intihuatana, la piedra símbolo de Machu Picchu. En ella se ata el sol el día de la fiesta del solsticio de junio[30].

—Hay que ver qué miedo tenían los incas de perder el sol —dice Andrés.

—Sí, imagínate a los sacerdotes cogiendo de las cuerdas para atar el sol —añade Juan.

Unas cuerdas

De repente el hombre del poncho rojo se acerca a ellos. Los chicos se agrupan y le hacen frente. El hombre se dirige a Juan, extiende la mano y le dice:

—Tome, muchacho, esto es suyo, se le cayó[31].

Los tres se miran sorprendidos.

—¡El monedero del tesoro! ¡Juan lo ha dejado caer! —piensa Rocío.

---

[29] Chicha = cerveza de maíz.

[30] El día del año que tiene menos horas de luz en el hemisferio sur, en donde está Perú, es el 24 de junio. En él comienza el solsticio de invierno. En la fiesta que hacen ese día en Cuzco «se ata» el sol: no quieren dejarlo escapar.

[31] En el español de América se usa mucho «usted». Por eso, aunque Juan es un chico, el hombre no lo llama de «tú».

Juan coge el monedero y no sabe qué decir. Rocío y Andrés tampoco.

—Mil gracias, señor —dice Juan al fin—. Es usted muy amable.

El hombre del poncho rojo saluda bajando la cabeza y se va.

—Pues menos mal que nos seguía —comenta Andrés.
—Porque si no, nos quedamos sin monedas y sin tesoro —añade Rocío.
—Claro —explica confuso Juan—.Tenía tanto miedo de perderlo que lo cambiaba de lugar constantemente y al final se me ha caído.
—Cuando lo he visto acercarse a nosotros, casi me desmayo[32] —dice Andrés.
—¿Nos sentamos un poco?, yo estoy cansado —propone Juan.
—Mira, todo esto está lleno de energía. ¿Por qué no nos acostamos en el suelo para tomar energía? —dice Rocío.
—Tienes razón y además yo también estoy muy cansado —dice Andrés.

Los chicos se tumban en el suelo. Rocío comenta:

—Machu Picchu es un lugar con fuerzas sorprendentes. Estamos en las nubes, tan cerca del cielo, tan lejos de la tierra…
—Rocío, porfa[33], calla un poco —le pide Andrés que está muy pálido y habla muy bajo.

---

[32] Perder el conocimiento.
[33] Modo juvenil y coloquial de decir *por favor*.

Capítulo 7

La cabaña milagrosa

Reina un ambiente mágico. Un calor sofocante invade la atmósfera. Ya no se oye hablar a nadie durante muchos minutos. La primera en abrir los ojos es Rocío.

—Me siento transformada. No soy la misma. Esta tierra me ha llenado de fuerzas…
—Pues debe de ser a ti, porque yo no siento nada. ¿Qué miras ahora? —pregunta Juan.
—Mira, mira la montaña de Machu Picchu —dice Rocío señalándola.
—¿Qué hay que mirar? —comenta Juan.
—¿No ves la cara gigantesca de un inca? Se ve la boca, la inmensa nariz, los labios… ¿No ves además los adornos indios que le rodean el cuerpo?

—Pues mirándolo bien, algo se ve…
—¿Quién ha podido esculpir[34] esta montaña para llegar a hacer eso?
—Pues si no son los hombres, ya sabes, igual son los seres del más allá —dice Juan señalando con el dedo hacia el cielo—, los de las líneas de Nazca.

Rocío pregunta a Andrés:

—¿Andrés, Andrés, te has dormido?

Como no reacciona, Rocío se levanta y se acerca a él.

—¿Qué te pasa? ¿Estás malo?

Andrés dice palabras incomprensibles.

—Juan, Juan —grita Rocío—, Andrés está mal.

Los chicos lo miran, le tocan la frente, le cogen la mano.

—Tenemos que llevarlo al médico —dice Rocío.
—Voy a preguntar si hay algún médico por aquí —dice Juan, y sale corriendo.

Rocío se queda con Andrés. Poco tiempo después llega Juan con unos campesinos. Cogen a

Una camilla

[34] Hacer una obra de escultura.

Andrés, lo ponen en una camilla[35] y se lo llevan. Juan y Rocío van al lado, asustados y tristes. Andrés está como en otro mundo. El camino les parece muy largo. Al fin llegan a una cabaña rodeada de gente. Alguien desde dentro dice:

—Tráiganlo aquí, rápido.

Entran en la cabaña.

—Esperen aquí, tranquilos, muchachos —les dice un hombre a Juan y a Rocío.

Los chicos se sientan en un banco hecho de un tronco de árbol. Se miran sin decir nada. Se cogen de la mano. Están muy tristes. La gente los mira con simpatía. Un campesino que está cerca les dice:

—No es nada. El mal de las alturas.
—El cansancio, quizás —añade Rocío.
—El médico va a curar a su amigo —añade una mujer—. Es como un dios. Cura a todos.

Juan y Rocío les responden con una sonrisa.

La gente que sale de la cabaña parece transformada. Cuando la puerta se abre, huele a plantas. Por el techo de la cabaña sale una nube de humo blanco.

El humo

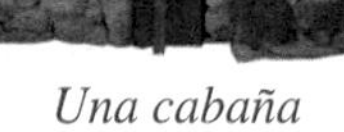

Una cabaña

[35] Cama estrecha para los enfermos.

Poco a poco se sienten más tranquilos. Se les ha quitado la angustia. Esperan ver salir a Andrés por la puerta, sonriente como siempre. 55

De pronto se oye una voz desde el interior de la cueva:

—Que pasen los muchachos.
—Entren, chicos, ¿no escucharon? El doctor los está llamando —dice una mujer a Juan y Rocío, que no reaccionan. 60

En sus ojos se lee de nuevo la inquietud. Su corazón palpita. *¿Qué les va decir el médico? ¿Qué le ha pasado a Andrés?*

Se levantan y entran en la cabaña. Atraviesan una sala y al fondo ven una puerta abierta. Pasan y allí les espera una gran sorpresa. Andrés, sonriente y relajado, está sentado en una cama. Los chicos van hacia él, le tocan el pelo, la cara, le dan besos. 65

—¡Has vuelto a la vida! —dice Juan—. Es un milagro.
—¡Qué exagerado!, ¿verdad, señor? —y Andrés señala al médico, un hombre con una mascarilla. 70
—Gracias, doctor —dicen a la vez Rocío y Juan.

Una mascarilla

El médico es un hombre pequeño con los ojos siempre en movimiento. Lleva un sombrero y una túnica blanca. Mientras se quita la mascarilla les dice: 75
—No tienen ustedes[36] que darme las gracias. Hay que darlas a las plantas, a la naturaleza.

---

[36] En el español de América no se usa *vosotros,* sino solo *ustedes*.

Hay un momento de confusión. Rocío lo mira con los ojos muy abiertos. Andrés señala una silla en un rincón donde hay un poncho rojo. Juan no se ha dado cuenta de nada. Está buscando en su mochila. Saca su monedero, lo abre y dice sin mirar al médico:

—Mire, señor, no sabemos cómo agradecerle lo que ha hecho por Andrés. No tenemos dinero, pero le podemos ofrecer estas monedas que tienen valor.

El médico, al ver las monedas, se sorprende y dice:

—¡Al fin nos encontramos! ¡No estaba equivocado! —dice el hombre con una sonrisa.

Juan mira al médico y abre la boca sin poder decir nada.

—¡Usted es Eusebio, uno de los jóvenes de la foto[37]! —exclama Rocío.
—Ahora sí que lo reconocemos —dice Andrés con los ojos muy abiertos.

Y todos se abrazan con entusiasmo.

—Y estas son las monedas que dejamos en Paredes de Monte —dice Eusebio tocando una.

[37] Se refiere, una vez más, a la foto de los cinco jóvenes hispanoamericanos que encontraron en la cueva de Paredes de Monte. Ver *El secreto de la cueva.*

Los chicos dicen que sí con la cabeza.

—Ustedes querían encontrarme y yo también los esperaba —explica Eusebio—. Ya sabía que estaban en Perú. Cuando los vi en Cuzco, pensé que podían ser ustedes.
—Es verdad —añade Rocío—. Usted nos seguía por todas partes.
—No estaba seguro del todo, por eso les seguía.
—Y cuando se me cayó el monedero, usted me lo dio...
—Era algo valioso[38] para ustedes, pero son muy generosos y ahora me lo regalan.
—Claro, usted ha salvado a nuestro amigo —dice Rocío.
—No, muchachos. Mis manos son el instrumento. La naturaleza fue quien salvó a su amigo. La naturaleza nos da la vida y nos permite sobrevivir. ¡Las plantas son la vida!

Los chicos se han callado y escuchan con atención sus palabras. Se ha creado entre ellos un ambiente mágico.

Vista aérea de Machu Picchu

[38] Que tiene mucho valor.

capítulo 8

La receta perdida

Rocío rompe el silencio:

—Díganos con qué plantas ha curado a Andrés.

—Machu Picchu es como el mayor jardín botánico del mundo —explica el médico—. Desde que el mundo es mundo nuestros antepasados[39] se han curado con las plantas.

—¿Así es que usted no practica la medicina tradicional? —dice Juan.

—No —dice con fuerza el médico—. Aquí todo es natural. Hay plantas que curan, hay plantas que ponen en forma, hay plantas que pueden matar…

[39] Pariente lejano de una persona.

—¿Y entonces? —añade Rocío.

—Nosotros lo sabemos. Mi abuelo era médico de medicina natural, mi padre también. Me han transmitido su saber. Reconocer las plantas y saberlas mezclar, esa es mi ciencia.

Señala una estantería y les enseña unos frascos. Cada uno tiene una etiqueta con un nombre. Coge un frasco, lo abre y les enseña una muestra de una planta:

Un frasco

La espina colorada

—La espina colorada, en quechua *Sikallu Warraqu*, es una planta que crece a 3800 metros en lugares secos, con rocas y con sol. Solo se utiliza su carne. La utilizamos como cataplasma[40] para dolores de cabeza, de muela, inflamaciones.

—¡Huy! —dice Juan—, esa es la mía. ¡Con lo que me duele a mí la cabeza!

El médico coge otro frasco.

El ágave

—Pues en ese caso, muchacho, lo mejor es tomar el ágave, que llamamos *Jaya Jaya*. Crece en los valles y en lugares secos todo el año. Solo se utilizan sus hojas. Purifica el estó-

[40] En general, es un medicamento caliente que se pone encima del cuerpo.

mago y el intestino. Cura las heridas y quita también el dolor de cabeza.

—A mí me parece muy bien esta medicina natural —dice Rocío—. Nosotros tomamos demasiados fármacos químicos. Eso no puede ser bueno.

—Sí, sí —insiste el médico—. Mucha gente viene aquí y de muy lejos para purificarse. Para unirse con la naturaleza, para recobrar[41] fuerzas al estar en contacto con la vida natural.

Eusebio abre de nuevo el monedero de Juan. Busca entre las monedas, saca una, le da unas vueltas entre los dedos… ¡y la abre! En el interior hay un papel muy pequeño.

—Sí, muchachos, ustedes realizaron una misión muy importante. Esta moneda es muy rara, es un escudo[42] de oro de Cuzco. Hay muy pocas monedas como esta, pero lo importante no es su valor en dinero. Lo importante es que alguien muy hábil hizo un mecanismo para esconder una receta de muchísimo más valor.

—¿Y esa receta para qué enfermedad es? —pregunta Rocío.

—Es una medicina secreta inca para los males del alma. La receta se transmitió oralmente de padres a hijos. Yo la recibí de mi padre y la escribí. Luego la escondí y ya saben ustedes la historia. Gracias a ustedes voy a poder prepararla.

Los tres se miran y sonríen. Han realizado una misión sin saberlo.

---

[41] Tomar fuerzas.

[42] En Cuzco se hicieron monedas de oro y el escudo es de mucho valor. Hay muy pocas en el mundo.

Eusebio se acerca a un armario. Coge unos sobres y los llena de semillas. En cada uno escribe las propiedades de las plantas.

Unas semillas

65

—Tengan estas semillas y plántenlas en su tierra de España. Van a ver qué infusiones tan buenas y tan sanas pueden preparar con ellas. Es mi modo de darles las gracias, amigos.

—Claro que las vamos a plantar y a cultivar —afirma Andrés. 70

Eusebio sonríe y les pone las manos en la cabeza.

—Un día nos vamos a encontrar todos y nos vamos a contar nuestras aventuras.
—Ya… hemos oído más veces eso. ¿Cuándo va a ser ese día? —pregunta Rocío. 75

Eusebio se calla y añade:

—En seguida.

Los chicos se quedan pensativos. Andrés rompe el silencio y pregunta exactamente lo mismo que Rocío y Juan están pensando: 80

—¿Y Roberto y Miguel? ¿Dónde están ahora?

Eusebio hace un gesto y señala una foto que está en la pared con otras. Los chicos se acercan y miran.

—¡Pero si son Roberto y Miguel!
85 —exclama Rocío.
—Están a caballo. Son verdaderos gauchos[43] —comenta Andrés.

Un gaucho

Eusebio mira la foto por detrás y lee lo que está escrito.

90 —*Santa Rosa. Te esperamos por estas tierras.*
—Llévensela, chicos, les puede servir —y se la da a Rocío.

Los chicos no saben qué decir. Eusebio rompe el silencio:

—Se hace tarde. Váyanse ya, se hace tarde —dice simple-
95 mente.

Los chicos lo abrazan y salen de la cabaña emocionados.

—¡Qué viaje más extraordinario! —exclama Juan—. Hemos encontrado a Eusebio y conocemos el secreto de algunas plantas. ¡Viva la aventura y los viajes!

---

[43] Campesino de La Pampa argentina, que monta muy bien a caballo.

GLOSARIO

	Español	Francés	Inglés	Alemán
A				
	abrazar	embrasser	to hug	umarmen
	abrir	ouvrir	to open	öffnen
	acabar	terminer	to end, to finish	beenden
	acercarse	s'approcher	to come closer	sich nähern
	acoger	accueillir	to take in	aufnehmen
	acostumbrarse	s'habituer	to get used to	sich eingewöhnen
	acristalado/a	vitré	glass	verglast
	adorno (el)	décoration	ornament	Schmuck (der), Verzierung (die)
	agradecer	remercier	to thank	danken, bedanken
	agrupar	regrouper	to bring together	gruppieren
	alegría (la)	joie	happiness	Freude (die)
	algo	quelque chose	something	etwas
	alma (la)	âme	soul	Seele (die)
	alrededor	autour	around	herum, um...herum
	altar (el)	autel	altar	Altar (der)
	altavoz (el)	haut-parleur	speaker	Lautsprecher (der)
	altitud (la)	altitude	altitude	Höhe (die)
	altura (la)	hauteur	height	Höhe (die), Grösse (die)
	amable	aimable	kind, nice	liebenswürdig, höflich
	ambiente (el)	ambiance	atmosphere, environment	Atmosphäre (die), Ambiente (das)
	andar	marcher	to walk	laufen, gehen
	angustia (la)	angoisse	anguish	Beklemmung (die)
	antepasado (el)	ancêtre	ancestor	Vorfahre (der)
	antiguo/a	ancien	old, ancient	alt, ehemalig
	añadir	ajouter	to add	anfügen
	apagar	éteindre	to blow out, to turn off	ausschalten
	aparecer (algo)	apparaître	to appear	erscheinen, auftreten (etwas)
	aplaudir	applaudir	to applaud, to clap	applaudieren
	armario (el)	armoire	closet	Schrank (der)
	arriba	en haut	up	oben
	artesanía (la)	artisanat	handicrafts	Kunsthandwerk (das)
	asiento (el)	siège	seat	Sitz (der)
	asustado/a	apeuré	afraid	erschreckt, erschrocken
	atar	attacher	to tie	anbinden, fesseln
	aterrizar	atterrir	to land	landen, aufkreuzen
	atrás (mirar hacia.)	regarder derrière, se retourner	to look back	Zurück (zuückblicken)
	atravesar	traverser	to cross	überqueren
	ave (la)	oiseau	bird	Vogel (der)
	avería (la)	panne	damage, break down	Störung (die)
	azafata (la)	hôtesse	stewardess, hostess	Stewardess (die)
B				
	bajar	descendre	to go down	herunterkommen, mindern, abnehmen

banco (el)	banc	bench	Bank (die)
barco (el)	bateau	boat	Schiff (das)
barrio (el)	quartier	neighbourhood	Stadtteil (der)
bastante	assez	enough	ziemlich
bastón (el)	bâton	stick	Stock (der)
batería (la)	batterie	battery	Batterie (die)
beso (el)	bise, bisou	kiss	Kuss (der)
boca (la)	bouche	mouth	Mund (der)
bonito/a	joli	nice	schön
bota (la)	botte	boot	Stiefel (der)
buscar	chercher	to look for	suchen
C			
caballo (el)	cheval	horse	Pferd (das)
caber	rentrer	to fit	passen
cabeza (la)	tête	head	Kopf (der)
cada	chaque	each	jede, jeder, jedes
caer	tomber	to fall	fallen
calor (el)	chaleur	heat	Hitze, Wärme (die)
cambiar	changer	to change	ändern, wechseln
camello (el)	chameau	camel	Kamel (das)
camino (el)	chemin	path (way)	Weg (der)
campesino (el)	paysan	peasant	Bauer (der)
cansado/a	fatigué	tired	müde, erschöpft
cansancio (el)	fatigue	Tiredness, weariness	Erschöpfung (die)
cara (la)	visage	face	Gesicht (das), Fläche (die), Seite (die)
carne (la)	chair, viande	meat	Fleisch (das)
carretera (la)	route	road	Landstrasse (die)
cartel (el)	affiche, pancarte	poster, sign	Plakat (das)
casi	presque	almost	fast
cataplasma (el)	cataplasme	poultice	Kataplasma (das)
cerca	près	near	nahe
cinturón (el) de seguridad	ceinture de sécurité	seat belt	Sicherheitsgurt (der)
ciudadela (la)	citadelle	citadel	Zitadelle (die)
comprar	acheter	to buy	kaufen
comprobar	vérifier	to check	prüfen, feststellen
concluir	conclure	to conclude	enden, abschliessen, beenden
confuso/a	confus	confused	konfus, unklar
conocido/a	connu	well known	bekannt
conquistar	conquérir	to conquer	erobern
cosido/a	cousu	sewn	genäht
construido/a	construit	built	erbaut
contra	contre	against	gegen
contraste (el)	contraste	contrast	Kontrast (der)
convencer	convaincre	to convince	überzeugen
convento (el)	couvent	convent	Kloster (das)
corazón (el)	cœur	heart	Herz (das)
correr	courir	to run	laufen, rennen, fliessen
crear	créer	to create	schaffen, kreieren
crecer (una planta)	pousser	to grow	wachsen (eine Pflanze)
creer	croire	to believe	glauben

cuerda (la)	corde	rope	Saite (die), Seil (das)
cuerpo (el)	corps	body	Körper (der)
cueva (la)	grotte	cave	Höhle (die)
cuidado (tener)	faire attention	to be careful	vorsichtig (sein)
curar	soigner	to cure, to heal	heilen
curioso/a	curieux	curious	merkwürdig, erstaunlich, neugierig,
curva (la)	virage	curve, bend	Kurve (die)
D			
dedo (el)	doigt	finger	Finger (der)
dejar	laisser	to let	aufgeben, lassen
demasiado/a	trop	too	zuviel
deportista (el/la)	sportif	athlete	Sportler/in (der/die)
deprisa	vite	quickly, fast	schnell, eilig
desaparecer	disparaître	to disappear	verschwinden
descansar	se reposer	to rest	ausruhen
desconfiado/a	méfiant	distrustful, suspicious	misstrauisch
descrito/a	décrit	described	beschrieben
desmayo (el)	malaise	faint	Ohnmacht (die)
despertar	réveiller	to wake up	aufwachen, wecken
devolver	rendre	to give back	zurückgeben
dibujar	dessiner	to draw	zeichnen
dibujo (el)	dessin	drawing	Zeichnung (die)
dinero (el)	argent	money	Geld (das)
dios (el)	dieu	god	Gott (der)
discreción (la)	discrétion	discretion	Diskretion (die)
disfrazado/a	déguisé	wearing a costume	verkleidet, maskiert
disimular	dissimuler	to hide, to pretend	heucheln, beschönigen
distraerse	se distraire	to get distracted, entertained	sich amüsieren, sich ablenken
dolor (el)	douleur	pain	Schmerz (der)
dormitorio (el)	chambre à coucher	bedroom	Schlafzimmer (das)
durar	durer	to last	dauern
durante	pendant	during	während
doler	avoir mal à, faire mal	to ache, to hurt	schmerzen
E			
embargo (sin)	cependant	however	jedoch
embarque (el)	embarquement	boarding	Boarding (das), Verschiffung (die)
emocionarse	s'émouvoir	to be moved	sich aufregen
empinado/a	abrupte	steep	steil
empujar	pousser	to push	anstossen, anschieben
encima	dessus, au-dessus	on top	auf, über
encender	allumer	to switch on	anzünden
encontrar	trouver, se rencontrer	to find, to meet	finden
enfadarse	se fâcher	to get angry	sich ärgern
enfermedad (la)	maladie	illness	Krankheit (die)
enfermo/a (el/la)	malade	ill, sick	Kranke (der/die)
enseguida	tout de suite, bientôt	right away	sofort
entonces	alors	then	seitdem, seither, da
equipaje (el)	bagage	luggage	Gepäck (das)
equivocado/a (estar)	se tromper	mistaken, wrong (to be)	irren (sich)
esconder	cacher	to hide	verbergen, verstecken

escudo (el)	écusson	coat of arms	Schild (der) Wappen (das)
esculpir	sculpter	to sculpt, to carve	schnitzen, meisseln
esfuerzo (el)	effort	effort	Bemühung (die) Anstrenung (die)
espectáculo (el)	spectacle	show	Anblick (der), Schau (die)
esperar	attendre	to wait	warten, erwarten
estantería (la)	étagère	shelf	Regal (das)
estatua (la)	statue	statue	Statue (die)
estomago (el)	estomac	stomach	Magen (der)
estrecho/a	étroit	narrow	eng
estrella (la)	étoile	star	Stern (der)
etiqueta (la)	étiquette	tag	Etikett (das)
exagerado/a	exagéré	exaggerated	übertrieben
excitado/a	excité	exited	erregt
extenderse	s'étendre	to spread	hinausreichen, sich ausstrecken
F			
facturación (la)	facturation, enregistrement	invoice, check-in	Abfertigung (die), Rechnungstellung (die)
falda (la)	jupe	skirt,	Rock (der)
famoso/a	célèbre	famous	berühmt, bekannt, ausgezeichnet
fármaco (el)	remède	medicine	Arzneimittel (das)
felices (feliz)	heureux	happy	glücklich
fila (la)	file	queue, line	Reihe (die)
flauta (la)	flûte	flute	Flöte (die)
fondo (el)	fond	background	Hintergrund (der), Tiefe (die)
fuerte	fort	strong	stark
fuerza (la)	force	strength	Stärke (die)
G			
ganar	gagner	to win	gewinnen
ganas (tener)	avoir envie	to feel like	Lust (haben)
generoso/a	généreux	generous	grosszügig, freigiebig
gente (la)	gens	people	Leute (die), Menschen (die)
gesto (el)	geste	gesture	Geste (die)
gigante (el)	géant	gigantic	Riese (der) Gigant (der)
gritar	crier	to shout	schreien
grito (el)	cri	shout	Schrei (der)
guante (el)	gant	glove	Handschuh (der)
guardaespaldas (el)	garde du corps	bodyguard	Leibwächter (der)
guardar	garder	to keep	aufbewahren, aufheben, sichern
H			
habitación (la)	pièce	room	Zimmer (das)
hacia	vers	towards	nach, gegen, in Richtung
hasta	jusque	until	bis

herida (la)	blessure	wound	Wunde (die),
hermoso/a	beau, magnifique	beautiful	schön
hipnotizado/a	hypnotisé	hypnotized	hypnotisiert
hoja (la) (de papel, de planta)	feuille	sheet (of paper), leaf	Blatt (das) (Papier, Pflanze)
huele (oler)	sentir	to smell	Riecht (riechen)
humo (el)	fumée	smoke	Rauch (der)
hundir	couler, s'enfoncer	to sink, to collapse	vernichten, versinken
I			
igual	pareil	same	gleich
imitar	imiter	to imitate	Nachahmen, imitieren
indígena (el/la)	indigène	native	Eingeborene (der/die)
inesperado/a	inattendu	unexpected	unerwartet
inocencia (la)	innocence	innocence	Unschuld (die)
inquietud (la)	inquiétude	worry, anxiety	Beunruhigung (die), Unruhe (die)
instalar	installer	to settle down	installieren
instituto (el)	lycée	high school	Institut (das)
intercambio (el)	échange	exchange	Austausch (der), Wechsel (der)
intestino (el)	intestin	intestine	Darm (der)
intrigado/a	intrigué	intrigued	gespannt
invierno(el)	hiver	Winter	Winter (der)
J			
jardín (el)	jardin	garden	Garten (der)
jefe (el)	chef	boss	Chef (der), Vorgesetzte (der)
joven (el/la)	jeune	young	Jugendliche (der/die)
junto/a	ensemble	together	zusammen
L			
labio (el)	lèvre	lip	Lippe (die)
lado (el)	côté	side	Seite (die)
lana (la)	laine	wool	Wolle (die)
largo/a	long	long	lang
lejos	loin	far	weit
leyenda (la)	légende	legend	Legende (die)
libre	libre	free	frei
losa (la)	dalle	flagstone	Fliese (die)
luego	ensuite	then	danach, nachher, später, dann
lugar (el)	lieu	place	Ort (der)
luna (la)	lune	moon	Mond (der)
luz (la)	lumière	light	Licht (das)
llenar	remplir	to fill	füllen
llorar	pleurer	to cry	weinen
M			
males (los)	maux	wrongs	Ungemach (das)
maniobra (la)	manœuvre	manoeuvre	Manöver (das)
mano (la)	main	hand	Hand (die)
marearse	se trouver mal	to get sick	schwindlig werden, seekrank werden
matar	tuer	to kill	töten

mecanismo (el)	mécanisme	mechanism	Mechanismus (der)
medir	mesurer	to measure	messen
medicina (la)	médecine, remède	medicine	Medizin (die)
medico/a (el/la)	médecin	doctor	Arzt/Ärztin (der/die)
medio (el)	milieu	middle	Mittel (das), Abhilfe (die)
mejor	meilleur	better	besser
mercancía (la)	marchandise	goods, merchandise	Ware (die)
mezclar	mélanger	to mix	mischen
miedo (el)	peur	fear	Angst (die)
mientras	tandis que	while	während
milagro (el)	miracle	miracle	Wunder (das)
mirador (el)	belvédère	vantage point	Aussichtspunkt (der)
monedero (el)	porte-monnaie	(change) purse	Geldbeutel (der)
montaña (la)	montagne	mountain	Gebirge (das)
monte (el)	mont	mount	Berg (der)
montón (el)	beaucoup	heap, pile	Unmenge (die)
moreno/a	brun	dark-haired, dark-skinned	dunkel, braun
mostrador (el)	comptoir	counter	Schalter (der), Ladentisch (der)
muela (la)	dent, molaire	tooth, molar	Backenzahn (der)
muestra (la)	échantillon	sample	Probe (die), Muster (das), Ansicht (die)
muralla (la)	muraille	wall	Mauer (die), Schutzwall (der)
murió (morir)	(mourir)	(to die)	Starb (sterben)
N			
nada	rien	nothing	nichts, keineswegs
nadie	personne	no one	niemand
nariz (la)	nez	nose	Nase (die)
nido (el)	nid	nest	Nest (das)
ninguno/a	aucun	none	kein/keine
nube (la)	nuage	cloud	Wolke (die)
nunca	jamais	never	nie, niemals
O			
ofrecer	offrir	to offer	anbieten
ojo (el)	oeil	eye	Auge (das)
ombligo (el)	nombril	navel	Nabel (der)
orden (el)	ordre	order	Anordnung (die), Befehl (der), Reihenfolge (die)
oreja (la)	oreille	ear	Ohr (das)
oscuridad (la)	obscurité	darkness	Dunkelheit (die)
P			
pagar	payer	to pay	bezahlen, zahlen
pájaro (el)	oiseau	bird	Vogel (der)
palacio (el)	palais	palace	Palast (der)
pálido/a	pâle	pale	blass, bleich
palpitar	palpiter	to palpitate, to throb	Pochen, schlagen
papel (el)	papier	paper	Papier (das), Rolle (die)
paquete (el)	paquet	package, parcel	Paket (das)

pared (la)	mur	wall	Wand (die)
pasear	(se) promener	to walk, to take a walk	spazierengehen
patrimonio (el)	patrimoine	patrimony	Erebgut (das), Vermögen (das)
pausa (la)	pause	break (a pause)	Poause (die)
pelo (el)	cheveu	hair	Haar (das)
pensativo/a	pensif	thoughtful	nachdenklich, sinnend
perder	perdre	to loose	verlieren
perdido/a	perdu	lost	verloren
permitir	permettre	to allow	Gestatten, erlauben
pesado/a	lourd	heavy, annoying	schwergewichtig, langweilig
pilar (el)	pilier	pillar	Pfeiler (der)
pista (la)	piste	track	Piste (die)
planta (la)	plante	plant	Pflanze (die)
poco/a	peu	few	wenig
precipicio (el)	précipice	precipice	Abgrund (der)
predecir	prédire, lire l'avenir	to predict	voraussagen
preocupado/a	inquiet	worried	besorgt
prestar	prêter	to lend	Leihen, ausleihen
primo/a (el/la)	cousin	cousin	Cousin/Cousine (der/ die)
probar	essayer	to try	probieren, beweisen
pronto (de)	tout à coup	suddenly	plötzlich, unversehens
proponer	proposer	to suggest	vorschlagen
proseguir	continuer	to continue	fortsetzen
proyectar	projeter	to project	geplant, vorgesehen
pulmón (el)	poumon	lung	Lunge (die)
purificar	purifier	to purify	Läutern, reinigen
Q			
quedarse	rester	to stay	bleiben
químico/a	chimique	chemical	chemisch
quizás	peut- être	maybe	vielleicht
R			
raptar	séquestrer	to abduct	entführen
raro/a	bizarre, rare	strange, rare	rar, seltsam, merkwürdig
razón (la)	raison	reason	Grund (der)
reaccionar	réagir	to react	reagieren
recargar	recharger	to recharge, to reload	aufladen
receta (la)	recette	recipe	Rezept (das)
recibir	recevoir	to receive	empfangen, erhalten
reclamación	réclamation	claim	Reklamation
recoger (el equipaje)	récupérer (les bagages)	to reclaim (luggage)	abholen (das Gepäck)
reconocer	reconnaître	to recognize	erkennen, anerkennen
recordar	se rappeler	to remember	erinnern
recuerdo (el)	souvenir	memory, souvenir	Andenken (das)
regalar	faire cadeau	to give a present	schenken
reina (la)	reine	queen	Königin (die)
reinado (el)	règne	reign	Regierungszeit (die)
reír	rire	to laugh	lachen
relajado/a	tranquille	relaxed	entspannt

renacer	renaître	to be reborn	neu entstehen, wieder geboren werden
repente (de)	tout à coup	suddenly	plötzlich
resistir	résister	to resist	widerstehen
reunir	réunir	to bring together, to gather	vereinen
rey (el)	roi	king	König (der)
rico/a	riche	rich, wealthy	reich
rincón /el)	coin	corner	Ecke (die)
robar	voler	to steal, to rob	rauben, entwenden
roca (la)	roche	rock	Felsen (der)
rodeado/a	entouré, encerclé	surrounded	umgeben
romper	casser	to break	Zerstören, brechen
ruina (la)	ruine	ruin	Ruine (die)
S			
saber	savoir	to know	wissen
sacar (algo)	sortir	to take out	herausnehmen (etwas)
sacerdote (el)	prêtre	priest	Priester (der)
sacrificado/a	sacrifié	sacrificed	geopfert
sacrificio (el)	sacrifice	sacrifice	Opfer (das)
sagrado/a	sacré	sacred	heilig
salir	sortir	to go out	hinausgehen
salón de actos (el)	salle de conférences	conference room	Aula (die)
salvar	sauver	to save	retten
sano/a	sain	healthy	gesund
santuario (el)	sanctuaire	sanctuary	Heiligtum (das)
seco/a	sec	dry	trocken
seguir	suivre	to follow	andauern, fortsetzen, folgen
seguida (en)	de suite	right away	sofort
seguro/a	sûr	safe, sure	sicher
seguridad (la)	sécurité	safety	Sicherheit (die)
señal (el)	signal	signal	Signal (das)
señalar	montrer	to point out	bezeichnen, kennzeichnen
seres (los)	êtres	beings	Wesen (die)
siempre	toujours	always	immer
siguiente	suivant	next	nachfolgend, nächst
silueta (la)	silhouette	figure	Silhuette (die)
simplemente	simplement	simply	einfach
sino	mais	but	sondern
sobre	sur, au-dessus	on, on top of	über
sobre (el)	enveloppe	envelope	Briefumschlag (der)
sobrevivir	survivre	to survive	überleben
socorro	secours	aid, help	Hilfe
sofocante	suffocant	suffocating	erstickend
solucionar	résoudre	to solve	lösen
sombra (la)	ombre	shadow	Schatten (der)
sombrero (el)	chapeau	hat	Hut (der)
sonido (el)	son	sound	Ton (der)
sonreír	sourire	to smile	lächeln
sonriente	souriant	smiling	lächelnd
sonrisa (la)	sourire	smile	Lächeln (das)

soñado/a	rêvé	dreamt	geträumt
sordo/a	sourd	deaf	taub
sorprender	surprendre	to surprise	überraschen
sorpresa (la)	surprise	surprise	berraschung (die)
subir	monter	to go up	aufsteigen, ansteigen
sucio/a	sale	dirty	schmutzig
suelo (el)	parterre	floor	Boden (der)
suerte (la)	chance	luck	Los (das), Glück (das)
sugerir	suggérer	to suggest	nahelegen, vorschlagen
suponer	supposer	to suppose	annehmen, unterstellen
suspirando	soupirant	sighing	seufzend
susto (el)	peur	scare	Schreck (der)

T

tarjeta (la …de embarque)	carte d'embarquement	boarding pass	Bordkarte
teclear	taper	to type	eintippen
techo (el)	toit	roof	Dach (das), Decke (die)
tesoro (el)	trésor	treasure	Schatz (der)
tienda (la)	boutique, magasin	shop	Geschäft (das)
tocar (un instrumento)	jouer	to play	Spielen (ein Instrument)
todavía	encore	still, yet	noch
torre (la)	tour	tower	Turm (der)
traer	apporter	to bring	bringen
triste	triste	sad	traurig
tronco (el)	tronc	trunk	Stamm (der)
túnica (la)	tunique	tunic	Tunika (die)

U

último/a	dernier	last	letzter/letzte
unirse	s'unir	to join	sich zusammenschliessen, zusammenwachsen
uña (la)	ongle	nail	Finger-/Zehennagel (der), Kralle (die)
usar	utiliser	to use	nutzen
utilizar	utiliser	to utilize	benutzen, anwenden

V

veces (a)	parfois	some times	manchmal
vender	vendre	to sell	verkaufen
verano (el)	été	Summer	Sommer (der)
verdad (la)	vérité	truth	Wahheit (die)
verdadero/a	vrai	true	eigentlich, wirklich
vestido/a	habillé	dressed	bekleidet, gekleidet
viajar	voyager	to travel	reisen
viaje (el)	voyage	trip	Reise (die)
vida (la)	vie	life	Leben (das)
viejo/a	vieux	old	alt
vísceras (las)	viscères	viscera, entrails	Eingeweide (die)
vestirse	s'habiller	to get dressed, entrails	sich anziehen
visto/a	vu	seen	gesehen
volar	voler	to fly	fliegen
volver	revenir, retourner	to go back	zurückkehren
voz (la)	voix	voice	Stimme (die)
vuelo (el)	vol	flight	Flug (der)

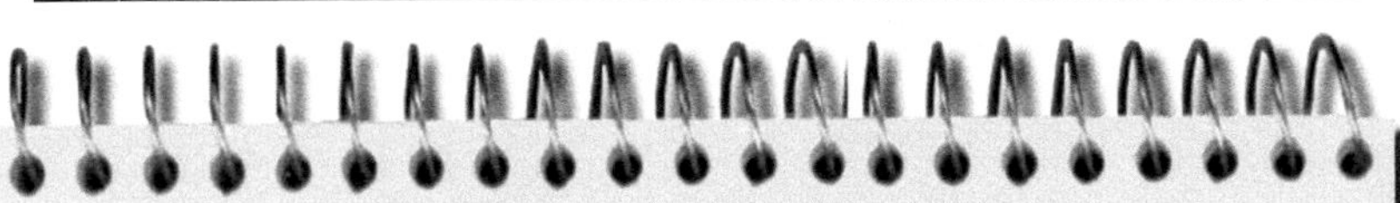

GUÍA DE LECTURA

Capítulo 1 *Un tesoro inesperado*

Comprensión lectora
Contesta a las preguntas.

1. ¿Dónde se han citado los chicos?
2. ¿Cuánto tiempo hace que no se han visto Rocío, Juan y Andrés?
3. ¿Cómo viste Rocío?
4. ¿Qué noticia les da Juan?
5. ¿Por qué una de las monedas vale mucho dinero?
6. ¿Dónde han encontrado las monedas?
7. ¿Por qué piensan venderlas en América?
8. ¿En qué sitio las ha escondido Juan?

Usos de la lengua

1. ***Hace… que* = indica el tiempo que dura una acción.**
   No se han visto. Hace un mes.
   No se han visto desde hace un mes. > Hace un mes que no se han visto.
   Transforma las frases.
   a. Hace un año. Vivía en esta ciudad.
   b. Hace quince años. Trabajé en esa empresa.
   c. Desde hace dos noches. No duermo.
   d. Desde hace mucho tiempo. No se han escrito.

2. ***Ponerse a* + infinitivo = expresa el comienzo repentino de algo.**
   Hablan de las vacaciones que han pasado con sus padres. > En cuanto vuelven a España se ponen a hablar de las vacaciones que han pasado con sus padres. **Modifica las frases con *ponerse a* + infinitivo.**
   a. En el momento en que oía la canción lloraba.
   b. Rocío y Andrés se ríen en cuanto Andrés hace una broma.
   c. Nada más conocer la noticia han llamado a la familia.
   d. En cuanto entré en la habitación hablaron de otra cosa.
   e. Por favor, haz los deberes nada más llegar del instituto.

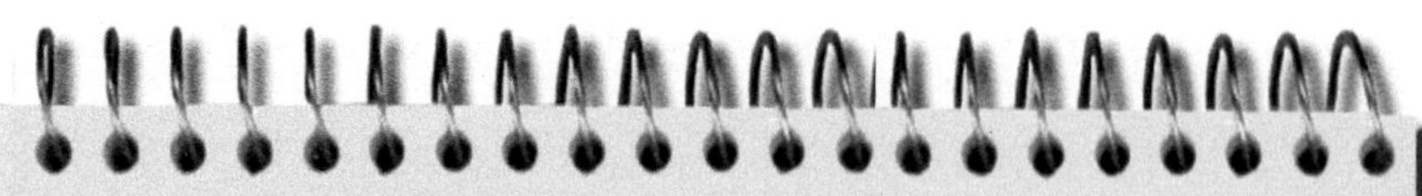

Capítulo 2

La ciudad perdida

Comprensión lectora

Escoge la respuesta correcta.

1. El primer día de clase los chicos tienen una sorpresa:
   a. Juan y Rocío ya no están en la misma clase.
   b. Van a hacer un intercambio con la ciudad de Cuzco.
   c. El intercambio escolar es únicamente para los alumnos del colegio San José.
2. Los chicos se van a alojar en:
   a. Machu Picchu.
   b. Una residencia de los jesuitas.
   c. La ciudad perdida.
3. La llaman 'la ciudad perdida' porque:
   a. No saben si ha existido.
   b. Los españoles nunca consiguieron encontrarla.
   c. Ha desaparecido para siempre.
4. Los chicos quieren visitar el Templo del Sol porque:
   a. Les recuerda a las aventuras de Tintín.
   b. Quieren ver lo que queda del templo.
   c. Quieren sentarse en el trono del rey inca.

Usos de la lengua

1. *Todavía* = se refiere a un momento anterior.
Todavía no lo han encontrado.
***Ya* = se refiere a un momento posterior.**
Hemos leído ya muchas cosas sobre Perú.
Completa las frases con *ya* o *todavía*.
a. .... nos lo ha dicho.
b. .... hemos encontrado el tema.
c. .... no lo he visto.
d. .... no han llegado.
e. .... sé dónde estamos.

2. *Volver a* + infinitivo = hacer algo otra vez, de nuevo.
Me apetece leerlo de nuevo. > Me apetece volver a leerlo.
Reemplaza *otra vez, de nuevo* por *volver a* + infinitivo.

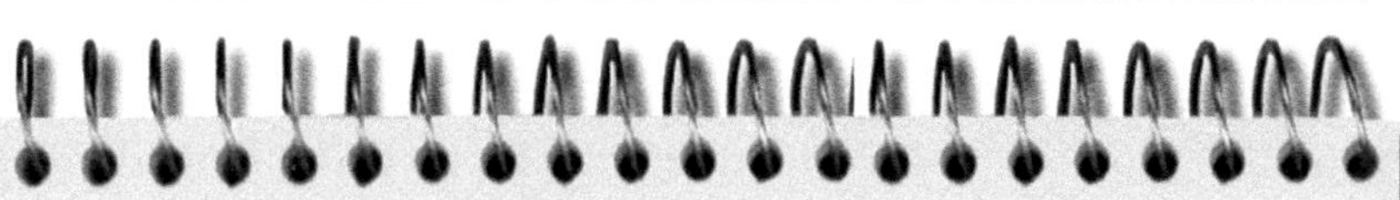

a. Si no es la hora de levantarte, duérmete de nuevo.
b. Escuché de nuevo el mismo disco y me encantó.
c. Otra vez llega tarde a clase.
d. Me encanta ir otra vez a la misma playa.
e. Me gusta leer de nuevo el mismo libro.

Capítulo 3 *«Las líneas de Nazca, ¿un calendario de gigantes?»*

Comprensión lectora

Contesta a las preguntas.

1. ¿De qué se da cuenta Rocío al teclear *Nazca*?
2. ¿Qué hay que hacer para poder ver las líneas de Nazca?
3. ¿Qué tema eligen para concursar?
4. ¿Cómo titulan su trabajo?
5. ¿Por qué lo titulan así?
6. ¿Qué particularidad tiene la mochila de Rocío?

Usos de la lengua

1. *Estar* + gerundio = *expresa lo que está ocurriendo ahora.*

¿Qué buscas ahí? > ¿Qué estás buscando ahí?

Transforma las frases.

a. Busca en su mochila.
b. Hoy llueve mucho.
c. Mis padres comen en casa.
d. Paseo por el parque.
e. Escuchamos música y dibujamos al mismo tiempo.

2. Frase exclamativa = *¡Qué* + adjetivo + (verbos *ser* o *estar*)!

Somos tontos. > ¡Qué tontos somos!

Transforma las frases.

a. Mi primo es inteligente. Todo el mundo lo dice.
b. Tiene muy mala cara. Está enferma.
c. Es delgado. ¡Se parece mucho a su madre!
d. Estáis cansados de estudiar, ¿verdad?
e. Estos juegos son divertidos.

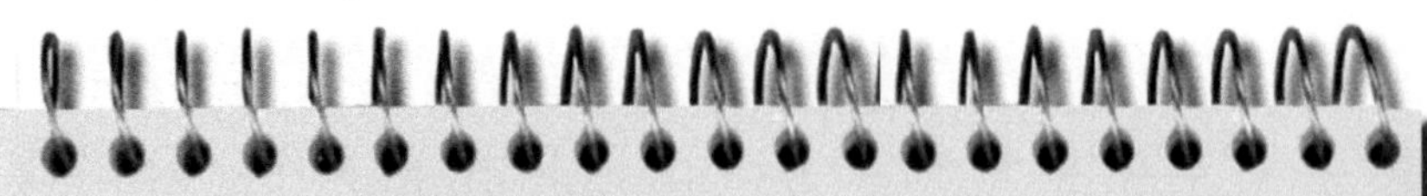

Capítulo 4

El ombligo del mundo

Comprensión lectora

Escoge la respuesta correcta.

1. Se dice que Cuzco es el ombligo del mundo porque:
   a. Es un lugar central de Perú.
   b. Está en las alturas.
   c. Todos lo conocen.
2. La maleta de Juan:
   a. Sale la primera.
   b. Sale la última.
   c. Se ha perdido.
3. Juan presenta una reclamación porque:
   a. Le han cogido ropa de la maleta.
   b. Le han robado sus monedas.
   c. No ha encontrado su maleta.
4. La ciudad de Cuzco está a:
   a. Tres mil cuatrocientos metros de altura.
   b. Cuatro mil trescientos metros de altura.
   c. Trescientos cuatro mil metros de altura.
5. Juan está muy contento porque:
   a. Ha dormido muy bien.
   b. A su maleta no le ha pasado nada.
   c. Porque ha vendido sus monedas.

Usos de la lengua

1. **Infinitivo + pronombre (el pronombre de objeto directo va siempre detrás).**

   Voy a aprender el alfabeto. > Voy a aprenderlo.

   Transforma las frases.
   a. Andrés se ha acercado para despertar a los chicos.
   b. Quieren ver las líneas de Nazca.
   c. Necesito ver los sitios misteriosos.
   d. Me encanta conocer cosas.
   e. El policía va a examinar la mochila.

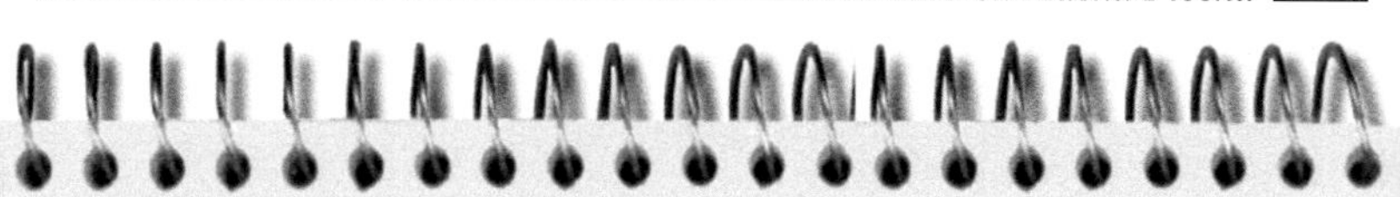

2. **Superlativo** = adjetivo o adverbio + *-ísimo, a, os, as.*
   Hay muchos. > ¡Hay muchísimos!
   Cambia por un superlativo en *–ísimo*.
   a. Vive muy lejos.
   b. Juan es muy simpático.
   c. Machu Picchu es muy conocido.
   d. Ha llegado muy tarde.
   e. Este libro es muy práctico.

Capítulo 5 *Visita a Cuzco*

Comprensión lectora

Contesta a las preguntas.

1. ¿Qué da el dios Sol al inca Manco Cápac?
2. ¿Cómo saben los incas en qué sitio tienen que establecerse?
3. Cuando se apaga la luz, ¿qué piensa Juan que puede pasar?
4. ¿Por qué todos los turistas miran la famosa piedra?
5. ¿Qué tenía de particular el convento de Santo Domingo?
6. ¿Cómo viste el hombre que sigue a los chicos?
7. ¿Qué hacen Andrés y Rocío para disimular?
8. ¿Qué recuerdo quiere comprar Juan?
9. ¿Qué piensa Juan de las intenciones del hombre que le sigue?
10. ¿Con qué sueña Juan esa noche?

Usos de la lengua

1. **Posesivos.**
   Esta no es mi maleta. > Esta no es la mía.
   Transforma las frases.
   a. Este es mi coche.
   b. Ese es vuestro libro.
   c. Estas son sus camisas.
   d. Este es su ordenador.
   e. Estos son vuestros amigos.

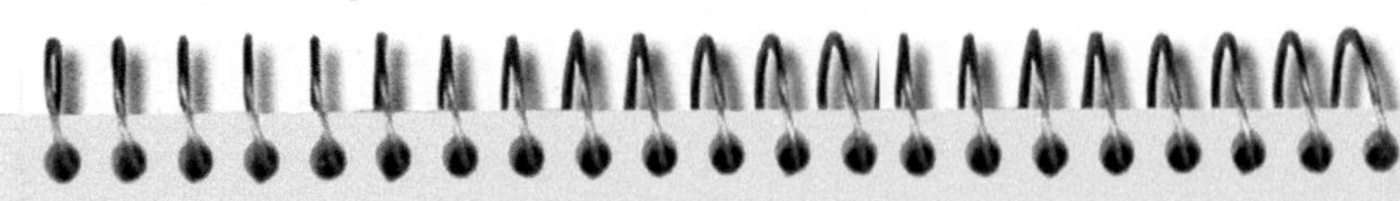

2. ***Al* + infinitivo = expresa dos acciones casi simultáneas (primero una e inmediatamente después la otra).**
   Cuando salen del avión, se reúnen con Andrés. > Al salir del avión se reúnen con Andrés.
   Transforma las frases.
   a. Cuando llega a casa, se pone a leer.
   b. Cuando aterriza, mira el paisaje.
   c. Cuando coge la maleta, se da cuenta de que no es la suya.
   d. Cuando baja del dormitorio, le espera una sorpresa.

Capítulo 6 *Machu Picchu en las nubes*

Comprensión lectora

Verdadero o falso.

	V	F
1. Los chicos hacen el viaje a Machu Picchu en el tren «Zigzag».	☐	☐
2. Juan está dibujando un cuadro de Picasso.	☐	☐
3. Andrés dice que la altura le sienta muy bien.	☐	☐
4. Un hombre con un poncho rojo les sigue de nuevo.	☐	☐
5. Al subir por la carretera ven camellos.	☐	☐
6. Los chicos visitan el Templo de la Luna.	☐	☐
7. Los incas tenía miedo de perder el sol.	☐	☐
8. Juan ha perdido el monedero con sus preciosas monedas.	☐	☐
9. El hombre del poncho rojo ha encontrado el monedero y se lo ha llevado.	☐	☐
10. Los chicos se sientan en el suelo para descansar.	☐	☐

Usos de la lengua

1. **Presente > Pretérito indefinido.**
   Y también es donde muere Túpac Amara II. >Y también fue donde murió Túpac Amara II.
   Pon los verbos en pretérito indefinido.
   a. Me levanto muy pronto.
   b. Creo que es una maniobra para robarnos.
   c. Se miran y se ríen.
   d. Esa noche sueña con una montaña de oro.
   e. No acaba la frase y se vuelve a dormir.

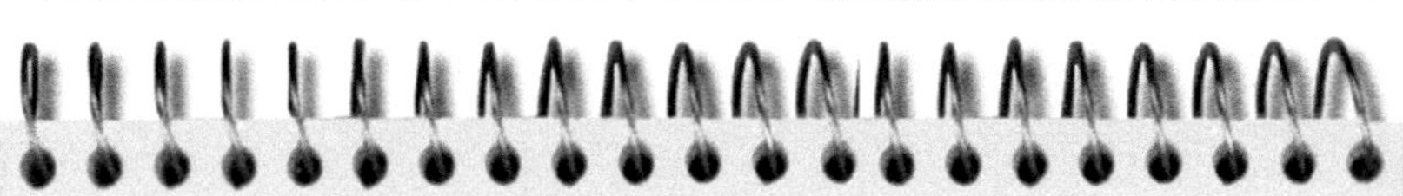

2. Pon los verbos en pretérito imperfecto.

Lo llaman el sitio de oro. > Lo llamaban el sitio de oro.

a. Los chicos empiezan a salir de la sala.
b. Los profesores piden silencio.
c. Parece muy antiguo.
d. Va muy deprisa.
e. Es muy difícil hacerlo.

Capítulo 7 *La cabaña milagrosa*

Comprensión lectora
Escoge la respuesta exacta.

1. Cuando Rocío se despierta se encuentra:
   a. Enferma.
   b. Llena de fuerzas nuevas.
   c. Deprimida.
2. Rocío piensa que la montaña de Machu Picchu se parece:
   a. A la cara de un enorme inca.
   b. A las líneas de Nazca.
   c. A cualquier otra montaña.
3. Andrés se despierta y dice:
   a. Palabras incomprensibles.
   b. Que está muy mal.
   c. Que se siente feliz.
4. Los campesinos se llevan a Andrés:
   a. Al hospital.
   b. A una cabaña.
   c. A una casa particular.
5. Andrés se despierta:
   a. Totalmente curado.
   b. Peor que antes.
   c. Todavía enfermo.
6. El doctor lleva:
   a. Un poncho rojo.
   b. Una túnica blanca.
   c. Un sombrero y una túnica blanca.

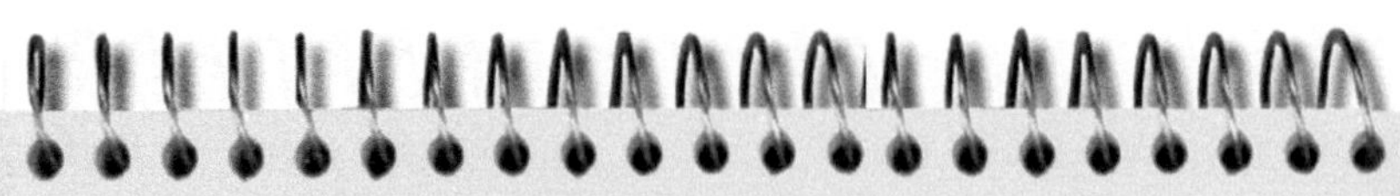

7. Juan agradece al médico su trabajo:
   a. Con las monedas que lleva.
   b. Con un dibujo.
   c. Con unas bonitas palabras.
8. El doctor esperaba:
   a. Encontrar esas monedas.
   b. Encontrar a los chicos.
   c. Conocer españoles.

Usos de la lengua

1. Imperativo en plural.

Ten cuidado. > Tened cuidado.

Pon en plural según la persona que corresponde.

a. Mira allí.
b. Ve despacio.
c. Recoge las cosas.
d. Di la verdad.
e. Ten cuidado.

2. ***Grande = gran****:* pierde la última sílaba delante de sustantivos (masculinos o femeninos) en singular.

Es el... día. > Es el gran día.

Completa con *gran, grande, grandes*.

a. ¿Es muy ....?
b. Pasamos unos .... momentos.
c. Fue una .... mujer.
d. Queremos tener un autocar ....
e. Es una .... idea.

Capítulo 8 *La receta perdida*

Comprensión lectora

Contesta a las preguntas.

1. ¿De dónde vienen las plantas que han curado a Andrés?
2. ¿Qué hay en la estantería?

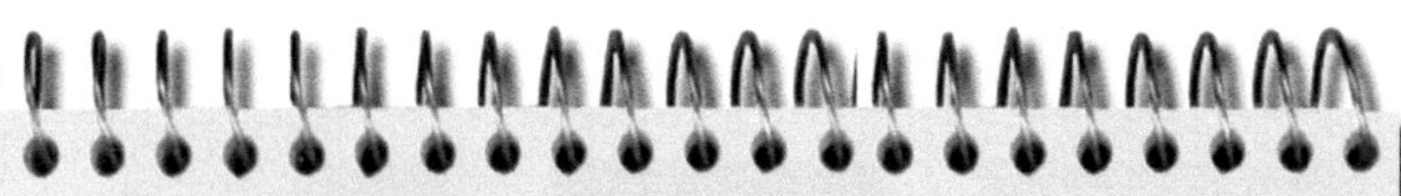

3. ¿Qué planta quiere tener Juan para curar sus dolores de cabeza?
4. ¿Qué hay dentro de una de las monedas de Juan?
5. ¿Qué regala el médico a los chicos?
6. ¿Qué les promete Eusebio que va a suceder un día?
7. ¿Dónde están ahora Roberto y Miguel?
8. ¿A qué se dedican ellos?

Usos de la lengua

1. *Se* + 3.ª persona del singular = expresa la impersonalidad.

Se oye una voz profunda.

Transforma las frases.

a. Vendo piso.
b. Como bien aquí.
c. Duermo mal en esta cama.
d. Vivimos mal.
e. Alquilo apartamentos.

2. *Deber* + infinitivo = expresa obligación.

Debe trabajar mucho para vivir.

***Debe de* + infinitivo = expresa probabilidad.**

Juan tose mucho. Debe de estar enfermo.

Completa con *debe* o *debe de*.

a. Si no quieres pasar frío, la chaqueta …… ser de lana.
b. Vamos a ver esa película, ……………… muy bonita.
c. Este poncho es muy ligero, no …… dar mucho calor.
d. Tú …… hablar con tu hija para ver qué le pasa.

Incluye CD audio

Continúa la aventura, y lee...

Aventura en Machu Picchu
Primera edición: 2010

Autor: Alonso Santamarina
Dirección y coordinación editorial: Departamento de Edición de Edelsa
Diseño de cubierta: Departamento de Imagen de Edelsa
Maquetación: Estudio Grafimarque
Ilustraciones: Ángeles Peinador
Fotografías: Archivo Edelsa
Imprenta: Gráficas Rógar S.A.

ISBN: 978-84-7711-575-5
Depósito legal: M-12173-2010
Impreso en España /*Printed in Spain.*